KB075704

ㄱ ㅂ ㅇ ㅅ ㅈ

ㅓ ㅜ ㅣ ㅏ ㅓ

ㄱ ㄴ

거북이사전

발　행 | 2024년 07월 01일
저　자 | 황엽
펴낸이 | 한건희
펴낸곳 | 주식회사 부크크
출판사등록 | 2014.07.15.(제2014-16호)
주　소 | 서울특별시 금천구 가산디지털1로 119 SK트윈타워 A동 305호
전　화 | 1670-8316
이메일 | info@bookk.co.kr

ISBN | 979-11-410-9182-8

www.bookk.co.kr

이 책은 시집이 아닙니다. 사전 입니다. 무언가를 느끼고 소양을 쌓는 것보단 정보를 하나 얻어간다는 맥락입니다. 정확히 여기서는 정보가 아닌 '시선'입니다.

단 하나의 시선이라도 선물이 되길 바랍니다.
이 책을 읽고 난 후 내가 알고 있던 것들의 이름이 한 번쯤 어색해지는 경험을 할 수 있길 바랍니다.

글순서

-

천사의 죽음

나에게는 습관이 하나 있습니다. 지금의 행복이 영광(永光)의 기억으로 남을 것 같은 순간 꼭 반대의 장면을 상상하며 사랑을 확인하는 습관입니다. 이러한 습관의 세상 속에서 내가 사랑하는 것들은 온전하지 못하며 홀연히 사라지거나 병에 걸리기도 합니다. 그리고 아주 느리고 깊게 죽어갑니다. 이 세상에 종말이 오지 않도록 영원의 것들을 사랑하려 합니다.

이 세상이
영원히 죽음을 사랑하도록

버스

지름길을 두고
정해진 길로만 가니
참 답답합니다

력중력

중력이 거꾸로 흐르면
우리는 발을 가꾸게 될까요
아님
머리로 걷게 될까요

바다는 정말 깊을까

속 시끄러운 날들의 연속
나보다 더 시끄러운 속 만나면
위로받을 수 있을까
당신에게 이 한 몸 내던져
한숨 견뎌봅니다

의미 전달

나는
잘 지킵니다
맏춤법을

나는
잘합니 다
띄 어 쓰 기를

나는
생각했습니다
이렇게하면사람들이읽 어주지안을까

이글은 완벽해서
맞춤법검사기를돌리지안아도됩니다

나만 알고 싶은 노래

숨겨진 명곡은
아무도 숨긴 적이 없습니다

제주 월정해수욕장 앞 어느 LP바

흔하게 듣던 노래가
어색하게 느껴지는 건
우리가 함께
하이볼을 마시고 있기 때문입니다

새로운 우주의 시작

심연의 균열은
지구종말 전 마지막 하나 남은 과일에
씨앗이 없는 것을 닮았습니다

중무화만몽 : 重無花滿夢

무겁지 않으며

그저 꽃으로 가득한 꿈

나는 무슨 성을 쌓았나

모래는 쌓아 올리면 모래성
후-
불면 사라집니다

눈물은 쌓아 올리면 슬픔성
후-
불면 아픔이 됩니다

큰 그림

있는 힘껏 웃고 다닙니다
그래야 나중에 힘들다는 말에
힘이 묻습니다

사회생활

치밀하고
완벽하게
눈치를 봅니다

빨주노초파남보 등

색안경 끼고 보지 않으려다
색안경을 껴도 분간 못 할 만큼
너무 많은 색을 보게 되었습니다

어디까지 해볼까

이루어질 수 없으니까
상상이 즐겁습니다

해리포터

현실은 도구입니다.
이상을 형상화 시켜주는.

어느 부부의 주말

우리는
거실에 있습니다

한 사람은 컴퓨터를
한 사람은 노트북을
닮은 듯 다릅니다
대화도 딱히 없습니다

함께

각자를 즐깁니다

어느 부녀의 전쟁

영화관이 오랜만인 아빠는
보는 내내 시끄럽고 말이 많았습니다
괜찮다고 예전엔 다 이랬다고
딸은 그런 아빠가 너무 창피했지요
예전이나 그랬지 지금은 아니라고
근데 또 모릅니다
정말 시끄럽게 하신 건지
사랑하는 사람의 목소리라 더 크게 들렸을지

제주 동광로 118번길

잘못 들어선 길은 참 매력적입니다

이런 길에서 본 꽃밭은

굳이

기억하려 하지 않아도 됩니다

소심한 그대에게 고백하기

나는 지금 가만히 기다리고 있습니다
가만히 있는 것 같지만 사실은
다가가는 중인 겁니다.

죄가 없는 줄 알았습니다

이만한 돌로는
파장이 없는 줄 알았습니다

저 파도는
당신의 눈물을 닮았군요

그냥, 그냥

때로는 애써 긍정적인 것보다
부정적이지 않음만으로도
충분한 힘이 생길 때가 있습니다

침묵

기대는 최소의 표현으로도 충족됩니다

그 기대에 대한

실낱같은 희망도 없을 때

선택하곤 합니다

내가 결코 당신이 될 수 없음이

낙엽이
낙엽이 된 마음을
알 수는 없을지 말입니다

마창대교 자살방지 문구

‘당신을 더 사랑하세요’

위로는 감사하지만
제가 여기 온 이유는
저를 사랑하기 때문입니다

이건 또 제목을 어떻게 지을까

생각이 많은 게 아니라
깊게만 생각하려니
머리가 아픕니다

도(道)

내가 글을 쓰는 이유는
나를 위해서 입니다

그렇다고 나만을 위해서 쓰면 안되겠지요

나는 운이 좋게도
혼자 힘으로 태어나지는 못했으니까요

비밀은 없다

한참의 대화를 잠시 멈추고
재채기를 하기 위해 돌린
내 얼굴의 표정

그 표정을 아는 허공은
찔리는 게 없습니다

거북이

열심히 뛰었는데 늦었다면
늦기 위해 달렸다고
이게 목표였다고 하면 되지

경건하게 ; 자연

서로의 날숨을

들숨으로 나눠 마시는 것들의

이름도 의미도 모른 채

꽃 사진 찍겠다고

꽃밭에 함부로 발을 들였습니다

하늘에게는 윤슬이 구름인가요

윤슬은 정말 예쁩니다 진짜 예쁩니다
동해바다 일수도 남해바다 일수도

어디를 가도 윤슬의 사각형만 찍는다면
동해바다 아녀도 남해바다 아녀도

똑같이 예쁩니다

행복

무리해서 만족하지 맙시다
우리가 기억해야 할 건
그날의 날씨가 너무 좋았고
마셨던 맥주가
끝내주게 시원했다는 겁니다

“나는 베스트셀러다”

누구에게도
보이지 않는 이 방에서
누구에게나
보일만한 글을 써내립니다

그들만의 인싸

따라하지 않는 것을
따라하는 사람

여름은 여전히 좋아합니다

낮이 길어 좋아했습니다

지금은

어둠이 짧아 좋아합니다

무작정

앞만 보기에도
시간이 없습니다
마음은 눈이
뒤통수에 있습니다

표정은 이미 세상을 바꿨다 야

야 야
진지한 얘기는
웃으면서 해야 멋있어
정말 진지한 사람은
너처럼 심각하지 않어

비의 배려

비가 온다
하염없이 온다
지칠 법도 한데
항상 오기만 한다

장마

더 멀리 있는 우리도
이렇게 더운데

저 구름들은 오죽할까
땀을 뻘뻘 흘립니다

재회

안경을 쓰지 않은 날엔
익숙한 얼굴들이 많이 보입니다
보고 싶은 사람들도
보고 싶지 않은 사람들도

달

태양의 맞은편에서
빛을 흡수해

뒤늦게 발광하는
야광스티커

변명입니다

나는 너를 너무
사랑하기 때문에

나는 너를 너무
상처받게 할 수 있습니다

블루는 우울한

저 하늘
구름 한 점 없는 저 퍼런 하늘이
우울해 보이지는 않습니다
사람한테나 우울한 색

카메라의 사진은 납작합니다

눈으로 찍고 마음속에 저장합니다
언제부터인지는 모르겠지만
사람들이 저를 감성적이라 말합니다
얼굴이 붉어집니다

보이는 것들, 있는 그대로

바다는 파랗습니다
아닙니다
파래어 진 것입니다
푸른 하늘을 비추어서
파래어 진 것입니다
하지만
바다는 파랗습니다

재수도 없으려니까

남 때문에 몇 번이고 넘어지고 넘어져도
아득바득 힘 꽉 주며 일어섰는데
내 발에 걸려 넘어진 곳이
하필 낭떠러지일 줄 몰랐습니다

전기세

켰다
(0.1초)
껐다
(0.1초)
켰다
(0.1초)
껐다

우리 모두 빛

때론
가로등이 달빛이 되고
달이 가로등 빛이 될 수 있습니다

남들과는 조금 다르게 보이겠지만
말 그대로 차이일 뿐입니다

인사

눈 내리던 어느 날
신세 졌던 그분께 찾아가
감사하다 인사를 건네니
누구냐 하십니다
마지막까지
그 기억을 지워주심에
한 계절 이르게
봄을 선물 받았습니다

숲

항상 그곳에 있길래 당연한 줄 알았습니다.
어떻게든 뿌리를 내린 근성이자 의지입니까.
우거진 수풀 아래 볕뉘 정도의 햇살
눌러 앉아 시간을 보내니 생각보다 뜨겁습니다.
나무를 휘감은 녹라.
태양의 끝자락으로부터 지켜내겠다는
희생과 책임을 닮았습니다.
녹음을 이루는
녹음과 달라 보이는 색 하나 꺾어보았습니다.
혹 제가 꺾은 것이 조화라도
부러진 게 조화인 건 변함이 없습니까.

하암

하품을 합니다.
입을 꾹 닫습니다.
하품을 했습니다.
보이진 않습니다.
하지만 했습니다.
하품을 먹었지만
먹지 않은 것이 될 때도 있습니다.

1년이 정말 4계절일까

잘 생각해 보면
4계절의 시작과
한 해의 시작이 다릅니다

꿈도 꾸지 못했던 일

지금 이 시간과 공간이
꿈이 되는 일

선곡

혼자일 때도 쉽지 않지만
사람이 많아질수록 골치 아파집니다

사람이 많아져도 수월하다면
즐거운 여행이 될 확률이 높습니다

커튼

나에게로 향하는 빛을
완벽히 차단해주고
꿈 꿀 수 있는 시간을
벌어주는 도구

이별

나는 아직
눈이 마냥 신기한데

너는 아직
눈이 그냥 당연하네

모이사(모든 이름에는 사랑이)

이 하늘 아래 사랑의 형태가
하나라도 더 존재할 수 있다면
누가 마다하겠습니까

맺힐 수 있는 것들의 이면

냉기와 온기를 품은 유리는
온기 가득한 곳에
물방울이 서립니다

touch

하늘이 무너져 내린다면
하늘을 만져볼 기회입니다

백수의 101수

남들이 손가락질 하며
한참을 비웃어도
나만은 끄떡없을 꿈

고진(苦盡)

나는 말이 없습니다

나는 말을 꿀-꺽 삼킵니다

나는 음식이 취향의 범주가 아니라 생각합니다

나는 먹을 수 없는 것도 때론 삼켜보는 것이

나의 확장이라 생각합니다

화백 불행복

행복에겐 그렇게 척지고
추상적이면서

불행에겐 어찌 그래 관대하고
구체적인지 모르겠습니다

아
이 그림은
자화상입니다

그리지 않고 그리기

하얀 도화지 위에는
아무것도 칠하지 않아도
하얀 것들을 그릴 수 있습니다

하얀 두루미 한 마리
그리고 싶으면
하얀색을 제외한 색들을 칠하면 됩니다

하얀 도화지 위에는
어떤 색을 칠하지 않아도
어떤 색을 칠해도
하얀 것을 그릴 수 있습니다

ㅇㄱㅇ ㅎㅅㅇ ㅇㅁㅇ ㅎㅇㅅ ㅇㅈㅅ ㅅㅁㅅ ㄱㅅㅈ ㅅㅁㅈ

ㅇㅁㄹ ㅎㅇㅂ ㅂㅁㅈ ㅇㅅㅎ ㅂㅅㄱ ㅇㄴㅇ ㄱㄷㅎ ㅇㅎㅅ

ㄱㄱㅇ ㄱㅈㅎ ㅂㅇㅁ ㅂㅎㅊ ㅈㅎㅅ ㄱㅎㅇ ㅇㅅㅎ ㅈㅅㅇ

ㅂㅈㅇ ㅈㅇㅇ ㅊㅇㅅ ㅇㅈㅎㅁㄴ ㅇㅎㅈ ㄱㄴㅇ

ㅎㅅㅎ ㅈㅇㅎ ㅅㅎㅇ ㄱㅁㅎ ㄱㅇㅇ ㄱㅅㅇ ㅎㄷㅁ ㅅㅈㅎ

ㄱㅇㅁ ㄱㅁㅈ ㅅㅇㅈ ㅎㅇㄹ ㄱㅌㅎ ㄱㄷㅇ ㅎㅅㅎ ㅎㅈ ㅎㄱㅇ

ㅁㄷㄹ ㅇㅅㄱ ㄱㄷㅇ ㅊㅇㅇ ㅈㄷㅎ ㅇㅅㄴ ㅇㅅㄱ ㄱㅅㅁ

ㅈㅇㅅ ㅎㅈㅇ ㅎㅈㅇ ㅎㅁㅇ ㅎㅎㅂ ㅎㅇㄴ ㅎㄹㅎ ㅎㄹㅂ

ㅅㅈㅎ ㅂㅅㅇ ㅊㄱㅅ ㅊㅅㅇ ㅈㅇㅇ ㅎㅂㅈㅎ ㅇㅅㅈ ㅇㅅㅇ

ㄱㅇㄱ ㄱㅁㅎ ㄱㄷㅂ ㅇㅈㅇ ㅇㅂㄱ ㅇㅈㅇ ㄱㅅㅎ ㄱㅈㅎ

ㄱㅈㅇ ㅇㅇㄴ ㅇㅇㄹ ㄱㅇㅈ ㅅㅅㅈ ㅅㅅㅇ ㅂㅅㅈ ㅂㅅㅇ

ㄱㅈㅅ ㅂㅈㅇ ㅈㅈㄱ ㅂㅁㄱ ㅎㅈㅈ ㄱㅎㅅ ㅇㅇㅅ ㅎㅁㅈ

ㅇㅊㅂ ㅂㅎㄱ ㅅㅎㅅ ㅊㅇㅅ ㅂㅈㅎ ㄱㅈㅇ ㄴㄷㅎ ㄹㅈㅍㄹㅇ

ㅎㅈㅅ ㅇㅇㄷ ㅇㅅㅎ ㅌㅌㄹㅅㅊ ㅌㅌㄹㅇㅁ ㅇㅈㅅ